Lyric Jungle

28

3

4

目次

1

2

I

南原魚人

詩集「微炭酸フライデー」（草原詩社）・「TONIC WALKER」（土曜美術出版販売）
携帯を落としました。拾った方は交番へお願いします。

メニュー

肴

ミックスナッツ　350円
牛セン　350円
わさびセサミ　350円
サラミ　480円
キスチョコ　350円
スモークチーズ　450円
オイルサーディン　750円

魚

今日もハイカライワシの大群の悲鳴で目が覚める
毎日の混合夏をかき混ぜる仕事

職安の牛に選んでもらった職業
エルモの脱皮
新身の皮膚がひどく敏感で
少しだけの接吻も肌に堪えるので
煙腐敗乳でコーティング
深海鮫油を毎日愛飲する
祖父八郎（87歳）は今日も元気である

食事

牛ジャコの玉子かけご飯　　　　４８０円
冷やしソバ　ｏｒ　うどん　　　４８０円
ペンネトマトソース　　　　　　５００円

二月は僕の嘘

客足が遠のく二月
店には僕とマスター
地元が近い同い年のマスターと二人きり
静寂も特に気にならない

ふと、メニューを見てみる

「こんなメニュー前からあったっけ。」
そこに書かれていたグラタンが気になった
「たまに、作ってるよ。」
「頼んでみよかな。」

数分後でてきたグラタンは温かく
バーに合うような濃い目の味付けで
とても、おいしかった

「隠し味に醤油とか使ってる。」
「いや、使ってないよ。至ってシンプル。」
「ふーん、そう。」

デザート

バニラアイス　　　　　　３５０円

携帯を落としました。

会社から簿記を受ける為に学校に行くように言われまして、
会社が支払ってくれる話だと思ったら自費でした。
係長になり残業関係なく働かされております。
経営企画という経営に携わるポジションにいますが、
会社のギリセーフかアウトかみたいな不正を見つけては
ビビっております。
フリーのエンジニアになった方がまだ良いかと並行して、
今までやったことのないプログラムなどを勉強してみてます。
40代までに結婚を夢見ておりましたが、40代までに独立が夢に変わりました。
あと、携帯を落としました。
紛失保証を使ったのでなんとか戻りました。
飲んで色々忘れたくても店が開いていない毎日です。

細見和之

一九六二年、丹波篠山市生まれ、同市在住。新刊詩集に『ほとぼりが冷めるまで』。
大阪文学学校校長。コロナ禍でバンド活動ができずに、辛い日々を送っている。

危ういすれ違い

通いなれた堀端を
自転車でスーパーに向かっていると
向こうから自転車を漕いでやって来る二人連れ
中学三年ぐらいだろうか
ひとりは長い釣竿を横手に差し出している
危うくすれ違ったところで
そいつが連れにむかって「クリトリス！」と叫んだのだ
一瞬ペダルを踏み外しそうになったあと
懐かしくも
その形状やら匂いやらが
私の頭蓋をめぐった
朝の九時

スーパーでは
カワハギあるいはウマヅラの
大きなやつに出くわした
ひょっとこのような口元の
そいつを自転車のまえのかごに載せて
大きな魚を一匹釣った気持ちで自転車を漕いだ
大地震がいつ来てもおかしくない地軸の傾きを感じながら
ペダルを踏んでいると
荷台でわさわさと揺れている
カワハギもしくはウマヅラが
まるで塩臭い巨大なクリトリス……
のように思われた

山村由紀

二〇二一年二月に第四詩集『呼』を出版しました。詩は書ききった、と思っていたのですが、五月から写真と短詩を組み合わせた小品を作成しはじめました。瞬間を切り取るのが楽しい。よかったらご覧ください。note「北摂詩文庫」https://note.com/miniletter

鉄棒

雨の日
鉄棒は
ただの棒

回転する
こどもたち
よりつかず

茶色く錆びたところに
水滴が
染み込み

公園の片隅
隣の墓石よりも
滲んで

雨の公園
ブランコ　シーソー　ジャングルジム
一番暗いのは
鉄棒です

マルコム・シャバスキー

一九六一年生まれ。ロシア在住。クレムリンの前でおでん屋をはじめました。
三等書記官のチャリンスカヤさんには、ブロッコリーとチャンポンヌードルが好評です。

波の風景

砂浜で波とたわむれるプードル。
伸びたリードが水色のスカートにからまって
恥ずかしそうにするお嬢さん。
早春の真砂海岸は光に満ちあふれ
どこかの画廊の絵画のようだ。

私は海岸の石段に
日がな一日腰かけて
焼酎を舐めている貧しいジジイだ。
もうじきあの海のどこかに消えていく。

海鳥が気持ちよさそうに一羽
風を受けて
空のひとところにとどまっている。

銀色の魚が時おり
水面から跳びはねる。

海はせっせと波を寄せ
浜はせっせと波を返す。
《なんしよん、せっかくやったのに》
《いらんち、言うとるとや》
海と浜との押し問答が聞こえてくる。

湾曲した岬の突端には
おもちゃのような灯台が見える。
きっと貴族の幽霊が出没しているにちがいない。

この風景の中に
絵画のように溶けこんでいるお嬢さん。
ああ　早春の美しいお嬢さん。
私はもうじき海のどこかに消えていく。
すべてはどこかに消えていく。

私はあと少しここにとどまって
寄せては返す波の風景を見つめていよう。

川鍋さく

今さらですが、最近、草野心平を読み始めました。地元の詩人なので、前からずっと気になっていたのですが、やっとです。

遠い昔の詩ですが、懐かしい、いい匂いがします。

奥春温泉

奥春温泉は深山の湯
群れる梢の隙間から陽が差す
正午の僅かな一時に
白濁の湯がいっそう白く
光る空気に
立ち上る湯気がいっそう白く

今日は
男物の傘と

女物の傘が
一対
湯に浸かっている

午後にはもう薄暗く冷え込み
奥春温泉は深山の中
ただの白濁の湯である

湊圭史

1973年大阪生まれ。愛媛県松山市在住。詩集『硝子の眼／布の皮膚』（草原詩社）。川柳誌『川柳スパイラル』同人。川柳は、アンソロジー『はじめまして現代川柳』（小池正博編著、書肆侃侃房）に掲載されています。

無地の壁

Ⅰ

音楽のかわりにニュースばかり聴く季節がしばらく続いた。

Ⅱ

サンフランシスコは港街だが、坂の街でもある、街の中心から、
路面電車に乗ってものすごい急坂を登る、せっかくだからと
客車の座席に座らずに、手すりを握って、風を受けながら
車外のステップに立つ、交差点のど真ん中で止まると、
家族連れが乗りこんできた、しばらくすると頂上を越え、
海側に下りつつ緩やかにカーブする道は、

建物の狭間に、ときおり、急角度の海を見せて

シティ・ライツ書店
ギンズバーグ『吠える』を出版した伝説の書店
私がたぶん二〇年以上前に来たかった場所
今さらながら、だな、と
何か間違ったような気分になって
照れ隠しにそれほど
興味のない本を書棚から引き出していた

奥の階段から二階にあがると詩集が棚に並んでいた
ローレンス・ファーリンゲティに捧げられたスペースがあり
開いた窓から隣の建物の小さなベランダが見えた
白黒の表紙のファーリンゲティの詩集を手にとって
言葉のリズムを感じようとする
二〇年以上前の私がたぶんつかみたいと思い
結局つかめなかっただろうリズムを
今さらながらに

洗濯物がベランダで風に吹かれていた

色とりどりの屋根がさまざまな角度で傾いて
初夏の陽ざしを跳ね返していた

見るべきものは
たぶんそれぐらいだった

Ⅲ

たくさんの言葉が流れていって、
流れたあとだけがいつかの無地の壁にぼんやり残っている。

高菜汁粉

一九九三年生まれ。大阪府在住。最近ステンドグラスでたくさんの家を建てています。

√B

時計が左に回り出して
反乱を起こした

鏡の向こうには
すこし若い私の姿

過去を遡っていく
じわじわした痛み
から衝撃が走る

時間が忘れさせてくれたのに
逆行して思い出させるなんて

確かに存在していたという、
事実さえいらないというのに

私の中に住まう人たち
呼び方さえ覚えてない

抉られた傷口はドロドロと
愛が溢れて溶けている

傷さえ愛しいと思っていた
鳥肌と傷跡を撫でる

過去の私が鏡に向かって
石を投げて割れた

あのときは
未来さえないと思っていた

恭仁涼子

くに・りょうこ。一九八八（昭和六三）年生まれ。千葉県出身・在住。
今回は故郷をテーマに書きました。平成でもバキュームカーがいて水洗トイレがステイタスのド田舎でした。

太陽、入滅、墓守

どうしてあたし独り置いていったの
だってそうでなきゃ、墓守がいなくなるからね
入道雲から亡き声が降ってくる
分家の人間は、仏教徒をやめたのだから
そしておれは人間をやめたのだから

どうしてもあたしに人間をやめさせてくれなかった父は
入滅の日をせめて人らしくむかえただろうか
梁に垂れ下がった腐敗した肉の
うわべに浮かんでいるのは笑顔だった。

父の後に祖母が死んだ

でも、仏教徒は祖母が最後だったから
墓には戒名が刻まれず、俗世の名前だけがのこっていた。

もうこの墓を守るのはあたししかいない。
百円ライターで親指を炙りながら父を思う。
父の葬式中、祖母は晴れ晴れした顔で言った。
よかった。死んでくれて。
あたしはただ草を祈りごとむしり取りながら、毎年恒例の遅すぎる願い。

どうか、誰の悪意をも素通りして、自由にいきてください。

岡村知昭

紫陽花園行き

午後
曇り空の
無人駅で下車
紫陽花園行きの
バスに乗る
このバスに乗って
紫陽花園までは
この無人駅から
およそ1時間半

バスに乗っているのは
私と
老夫婦と
かたつむりたち

私は窓際の席
老夫婦は
運転席の後ろの席
かたつむりたちは
そのほかの席すべて

バスの車内を覆う
かたつむりの匂い
かたつむりの粘液
席にじっとしていない
かたつむりたちが
車内の窓を　床を
這う　這いまわる
席にじっと座っている
私と　老夫婦の体を
這う　這いまわる

ところで
運転手はどうした
発車の予定時刻から
30分ほど過ぎているのに
運転手は
いまだ姿を見せない
いったいどこにいるのだ
いつ来るのか
いつ発車するのか
いつ紫陽花園に着けるのか

また20分が過ぎて
ついに　バスの扉が閉まり
ついに　エンジンがかかり
　お待たせいたしました
　紫陽花園行き　発車します
アナウンスとともに
運転手のいないまま
バスが　動き出す
かたつむりたちに
体じゅう覆われている
私　老夫婦
車内を這い　這いまわる
かたつむりたちを
乗せて

バスが　速度を上げる
駅がだんだん遠くなる
駅の入口の
枯紫陽花は見えなくなり
午後の曇り空からは
ついに雨が
落ちてきた

かたつむりに
体じゅう覆われながら
老夫婦が　語り合う
　紫陽花園　たのしみだねえ
　そうですねえ　たのしみですねえ
そうですよねえ
私も　たのしみですよ

でも　まずは
紫陽花園に着けますかねえ
もうしばらくは
かたつむりに
体じゅう覆われたまま
このバスに乗らなくては
いけないいんですからねえ

雨は強くなり
バスは　速度を上げる
かたつむりたちは　さらに
私と　老夫婦の　体じゅうを
這い　這いまわり
覆い　覆い尽くし
私を　老夫婦を
吸う
吸い尽くそうと　する
このバスの
紫陽花園への到着までは
あと　１時間１０分

2

福島敦子

詩集「海風」「草の便り」「永遠さん」
母がよく夢に出てきた時がありました。夢をつなぎ合わせると何を伝えたいのか分かりました。

夢

笹色の水盤に花を活けた
母と一緒に
若返っている母と年老いたわたし
床脇地袋の樫の木の上
母は笑顔で紫の花々を剣山に挿した
しわのない白い指先

真新しい畳
黒い仏壇と床の間

わたしがもっと老いて
旅立ったら
新しいその家でまた母と暮らすのかな
ふたりで両手いっぱいの紫の花を抱えて

岩村美保子

何年かに一度、いてもたってもいられず放浪したいときがやってくる。
放浪といってもぐるぐる街歩きをしたり、小さな旅に出たり、絵の中へ入ったり。

声

毎日毎日立てた腹が
生い茂る
もはや簡単に引っこ抜けないほどに
根を張ってしまった
たくさんのハラノキ

何に待たされているのか
わからない
いや、
わかってはいる
光は
少しは入ってくる

寂しいのは
共有できないこと

深く重い緑の湿気で口を塞がれ
言葉を生むことができない
せめて
声をあげて泣きたいと願う頭上で
何かの鳴き声が
長く尾を引く
初めて聞く声だ

鬱蒼が途切れた裂け目へ
唇を開く

Waiting on the World to Change

'時がくるのを待つ'、消極的な選択ではなく、必ず来る'絶好'のときを待つ。信じていれば、自ずから無理に動かなくても世界が変わる時が来る。

いつの時代も世界が変わってほしいと願う強い気持ちがあって、変われない理由が何なのかかが見えていて、そしてタイミングを待ってきた人たちがいた。繰り返すときの中、変わる世界と変わらない人の思いが、途切れることなく今へ続いてきた。私はというと、どちらかといえば待つのは苦手で、すぐ走り出していた今までだった。それが最近変わってきた。この時代が変化をつれてきてくれたのだろうか。待っている間の'宝探し'が楽しみになってきている。

It's not that we don't care
We just know that the fight ain't fair
So we keep on waiting
Waiting on the world to change

あきらめてるわけじゃないんだ
戦いはフェアじゃないことがわかっている
だから待っているんだ
世界が変わるのを

「Waiting on the World to Change」
John Mayer 2006年より

荒木時彦

一九七二年生れ。京都市在住。二〇二〇年八月に、『今日、考えていたこと』（アライグマ企画）を上梓。好きな詩人は、入沢康夫。最近、私事をフィクション化するのは難しいなあ、とか思っている。

最近、マクドナルドに行っていない

今朝起きたら、黒いパソコンが、銀色に変わっていた。いつの間に、色が変わったのだろう？

＋

基本的に、僕は記憶力が悪く、昔のことをすぐに忘れてしまうほうなのだが、最近、ますます昔のことがぼんやりとしている。なんとなく覚えていることでも、時系列がはっきりしない。

＋

今日、本棚の本を大幅に減らすことにした。段ボールに、いらない本を入れていくと、段ボール六箱になった。古本として売るために、ネットで申し込みをする。専用の段ボールが送られてきて、希望日時に取りに来てくれるらしい。本棚の本は、三分の一ほどに減った。

＋

さて、
今日、寝たあと、
自分がどうなるのか、
わからない。

＋

自分が見たこと、聞いたことが事実であるとは限らない。そこには、さまざまな偏りが入り込んでいる。
それらは、修正することができない。他人がそれを、どう見て、どう聞いたのか、照らし合わせても、
事実にたどり着くことはない。そこには、また別の偏りが入り込んでいる。

＋

それにしても、最近、マクドナルドに行っていない。

荒川純子

先日、健康診断で体重が5キロ減っていたら「ご本人ですか？」と聞かれた。問診票に写真がないからだけど、健康診断の替え玉なんて聞いたことないから笑ってしまった。瘦せたのは徒歩通勤に変えて二年が経ったからだろう。

1％

苦痛だった
その男の発する音が

録画したドラマの音
咀嚼する食パンの音
歯をみがく音さえも

それに気がつかずその男は
私の好きなサラダを買い
私のために風呂を沸かし
私のかわりに犬を散歩し
私の服を洗っては干して

私の苦痛に
気がつかないでいるのか
知っていて気がつかないふりをしているのか

わからないことにも腹がたち
私のためにしてくれていることにも腹がたつ

苦痛だった
そこに帰ることや会話すること

窓に明かりがあれば足取りは急に重く
何食わぬ顔で発せられる「おかえり」
冷蔵庫内の無駄な買い物にためいき

良かった思い出が重荷になる
楽しかった時や頑張った時には戻れない
うわべだけの相槌に気持ちのない挨拶で
継続する毎日
憎ければ今にも怒り狂えるのに
すぐにでも非情に捨てられるのに
それができなくて口をつぐんで耐える
私の中の１％がとどまらせる

それは何か
私の１％

秋吉里実

毎朝、リンゴ酢を炭酸水で割って飲んでいます。
二〇一六年、第一詩集『悲しみの姿勢』上梓。滋賀県在住。

わた雲

ごみ捨ててきて、と言ったら
首根っこをつかまれ
捨てられた

捨てられた場所で
じっとしていたら

不法投棄禁止の紙を貼られた

行く先もなく
空を見上げた
東の方へ
雲が流れていく

ゆったりした雲が
いくつも流れていった

前田 珈乱

まえだ・からん。珈琲が好き。第一詩集『風おどる』を上梓しました。『Ｌｙｒｉｃ Ｊｕｎｇｌｅ』同人。
公式サイト『珈琲魔術』遊びに来てください。「珈琲魔術」で検索するとトップに出てきます。

逢瀬

踊りあかしましょう。
今宵が最初で最後。
満月だけがこの逢瀬を知っている。

貴方が黄泉路を辿るというのなら、
私はその後を疾走するでしょう。
貴方が地獄へ落ちるというのなら、
私は奈落に身を投げるでしょう。

貴方が天空へ向かうというのなら、
私は背中に翼を生やすでしょう。
でも、
貴方が消えてしまうというのなら、

踊りあかしましょう。
今宵が最初で最後。
この刹那が永遠を満たすでしょう。

まるらおこ

第一詩集「つかのまの童話」(2018年)。
最近、カレル・チャペックの戯曲「白い病」を読み、疫病や群衆について考えました。

紅葉狩り

無言で山道を歩き続けると
いつしか地下を奔流する名もなき大河の
水音を聞きとれる耳になった

話していると聞こえない
地表を流れる川の水とはまったく違う
声帯では再現できない響き
山の地下深くで鳴っている
馥郁とした　うっとりとする
山中を貫く翳りのある音

水音がからだを這い登り
耳までたどりつく
音
狂おしい

地下奥底で流れている大河の水音を
マリンバのようだとひらめいた瞬間
二つの耳と四本の足が
水しぶきでだいぶと濡れた
実際にほんとうに濡れた

話すと聞こえない音
黙っていると聞こえる音
命じると聞こえなくなる音
大河の正体
それを吸った紅葉のみずみずしさよ

露古

今朝の

いよいよ深こう淀んだ淵のアオミドロを浮き沈み浮き沈み髪に絡んだ鳥の指を解いてああ
ソレ何かよほど心に引っかかっとったんでしょうなぁ一度だけ聞いた花の名を口にしてよ
うやっと今朝、今朝笑いましたんですわ

藺中舞百合

「詩と思想」投稿欄 年間最優秀作品（２０１８年度）。ちょっぴりフシギで、カワイイものが好きです。うれしいきもち。せつないきもち。どっちもやさしく、抱きしめたいです。よろしくお願いします。

ジンベエザメ

やさしいサメです
ゆっくり　およぎます
おおきいので
とてつもなく　おおきいので
こわいと　おもわれますが
プランクトンを　たべているのです

おおきな　こえで　いわなくても
わかってくれます
ありがとう
かいそうだけ　たべて　くらせたら
もっと　よかったのだけど

にんげんの　しかけた　あみに　かかり
すいぞくかんで　いきている　なかまよ

どうか　ながいきしてほしい

どこまでも　どこまでも　つづく
この　あおい　てんじょう

よごされても　やはり　うつくしい
かがやく　うみのように

シンキロウ

じゅんすいな　あいさえも
ナイフに　かえて
まもるべきひと　きずつけ
くるしめた

よりそってくれた　あなた
しんじられずに
つきとばしてしまった
これが　わたしの　つみです

ああ！

ズキズキ　かんじてる
おもいは　シンキロウ
あいされてしまえば
きえてしまう　マボロシ

ドキドキ　スペシャルディ
ふれあいたいのに
すなおに　ゆびきり　できない
だけど　いつだって
アイニージュー

気を取り直して
フード付きパーカーを着こみ飛び出した
約束のブツは背中のリュックに忍ばせてあるぜ〜

激しい雨の中　この一点に集中して突進している姿がガラス越しに見えた
あっ　「ビビビのねずみ女」だ
ふふふ　ほくそ笑む

第一楽章はまずまずの出来としよう
滴り落ちる雨の雫を振り払いながら
本気でそう思っていた
(少なくともその時までは)

(これまであまりにも半妖怪の身の上に胡座をかいていたから)
直走りしながら
今回ばかりは取り返しがつかない結末になるような気がしてきた
頭の片隅で不安がよぎった

マダムきゃりこ

1951年生京都市在住　NHKカルチャー平居クラス在籍中　ホテル以外でポット珈琲を提供してくれるカフェを探している。

ビビビのねずみ女

その日の天気は前々からわかっていた
どこのチャンネルでも
大雨暴風でかなり荒れますと予報されていた
それでも強行した
ずーっと前から綿密な計画を立てていたから
引くに引けなかった

その日に限って天気予報のことを失念していた
迂闊だった
（そもそも悪天候がこの計画に及ぼす影響など皆無と踏んでいたからだ
ところが大いに関係があったのだ
なぜならこの計画書の備考欄には小さく「ただし湿気と雫が難敵」とあるではないか）
これぞ痛恨のミス

いいのだ！！
真意が伝わればいいではないか！

3

コンペイトウ

鍋山友梨馨小詩集

一九九八年生まれ。二〇二一年春、詩・音楽・映像など幅広い分野で活動を開始。

「Ｃｈｏｃｏ　Ｅｆｆｅｃｔ」代表。講座「詩の世界を歩く」では投稿作品批評アシスタントを務めている。

コンペイトウ

小さいあなたは
色を変えて
時を超えて
今日も明日も明後日も
みんなに愛を届ける
フグのような毒針で
あなたが心を
突き刺しても
みんな許してしまう
甘い小悪魔
コンペイトウ

星の行方

砕け散った夢を
もう一度と
願って固めたガラクタ

堕ちたカケラは
ボロボロになって排水溝へ

外気を纏えずに
綺麗に舞うことすら
許されない

味み

「苦いのは嫌いなの」
そう呟いたきみに
淹れたコーヒーを
捨てたあの日から

僕の部屋から
消えた苦み

君の香りも相まって

僕の部屋には
増えた甘み

君の苦みが増えちゃって

僕の部屋から
消えたきみ

溶けきれなかった
ココアの
甘みだけを残して

もう戻れない

眠れずとも

いつの間にか
暗闇から顔を出して
嗤ってくるのです

あれやこれやと
増えていくリスト

消しても
増えて
消しても
増えて
消しても

消えないのです

全てを布で包んだところで
ゴミ箱には捨てられないけれど
空けない夜はないのです

相棒

手を取れば元に戻るのに
手を取ることに戸惑ってしまう

手が届かなくなって戻れなくなっても
別にいいよ

でも
手を差し伸べてくれるのを期待してる

だけど今は
手を引くよ

もしもし

人は声から忘れちゃうんだって
と言った人の声も忘れた
だから毎日君に電話を掛けるね
もしもし
元気?
電話の初めは何でもしもしなんだっけ?
元気でもないのに元気って言っちゃうよね
え?
電話の声はいつもの声と違うんだって?
じゃあ
これは誰の声?

今晩

何を言っても　もう遅いから
今日は　もう終わりにしようよ
明日も　終わらないこの夢を
覚めたいと願って生きようよ
言葉にしないと伝わらないけど
電子言葉じゃ伝わらないな
今日は　終わりって言ったけど
今すぐ　駆け出していいかな
コンビニのあんまんでも食べてさ
まずは　腹ごしらえしよ
それだけじゃ足りないからさ
今は愚痴を具材にして
おでんでも楽しもうか
気持ちさんかくこんにゃく
たまごのお月様も光ってる
餅巾着に涙を仕舞って
昆布で最後〆よう
朝までなんて言わないでさ
今日は　もう終わりにしようよ
また今度　駆け出していいかな
次は　明日ぐらいに

岡村知昭

ボディビルダー

遠雷やバナナジュースの販売車
尾道へ行きたし水着干しており
帰省自粛要請シャワー浴びている
祝われぬ帰省なりけりにきびあり
おさなごのはだしくすぐりたし眠し
辛うじて兄の昼寝を跨ぎけり
道場の曇り硝子の風鈴よ
ボディビル大会に着き夏揚羽

熱帯夜ボディビルダー座らされ
座りおり夏風邪と思われる象
きょう二百十日あしたは予定なく
面会謝絶なり二百十日なり
萩の風自転車店の見つからぬ
萩白し失礼いたしますと来て
眠たくて里芋茹でていたりけり
うたた寝のボディビルダー獺祭忌
秋彼岸いれずみゆびにまでありて
秋風のやみぬ競輪場の跡
肌寒の鰐眠らせていたりけり
曼殊沙華上腕二頭筋隆起

浜田睦雄

新型コロナウィルスさえ訪ねて来ない土佐の片田舎。「里帰り出産をするから帰るまでにトイレは水洗にしてね」と娘。また一つ昭和の文化が消えてゆく。一九六一年生まれ。高知県在住。「流耀の会」所属。

世界地図

開式の一同マスクして起立
休校の校舎春昼のチャイム
ひらがなの苗札水をやる教師
満開の今年の花をガラス越し
花吹雪箸箱が鳴る通学路
オープンカフェ横目で過ぎる鳥の恋
行く春の在宅勤務笑わぬ日
病む人の帰らぬ庭の蛇苺

下膳車に残る夕食梅雨長し
黒南風の帰路面会は十分間
晩夏光座敷に上げる車椅子
待合の等間隔へ扇風機
予備校の窓にマスクの夏の顔
爽涼の手帳に続く×印
色変えぬ松コロナ禍の第三波
オンライン会議の真顔文化の日
弁当で済ます直会秋祭り
立冬を呑む透明に仕切られて
冬薔薇一輪傾ぐ予約席
冬三日月感染者数の世界地図

ねまる

鈴木志郎康さんの詩と、インターネットにある詩が好きでした。昔2ちゃんねるにコピペした謝れ職業人という詩（作者は松岡宮さん）が有名になってることに最近気づきました。

あのころpoeniqueのフォーマルハウツで一番コンスタントに投稿されてたのが松岡さんで、わたしは上原君的昆虫とか佐々木丸美を読みながらを読んでた気がします。

おそらく時間軸に、多少の錯誤はあるはずです。「謝れ」は松岡さんのサイトの日記にあった文章で、そのあと「謝れ仕事人」と改題して投稿された「作品」もあったように記憶していますが、わたしはなぜか職業人のほうをどこか（ひきこもりかニュー速か就労関連）のスレッドに合うとおもい、わけて連投したはずです。そのときはほぼ黙殺されたようでしたが、さきほど検索すると、詩のみが投稿された単独のスレッドができていました。そののち、斎藤環さんの家族の痕跡という本に匿名の詩として引用されていたようです。

このことをわたしが知った効能として、少しなにかを動かし（てい）たような気になりました。やくにたった気がしました。昂揚しました。言いたくなりました。でもわるいこともしている（日々の壺や謝れ仕事人がなくなったことなどから推測する）気がして、どうしようかと思いながら今に至ります。

作者のタイミングで、作者の決断ではない踏み切りで言葉をとばしてしまったということに対して、私はその結果だけをみてかってに喜んでしまっているからです。そしてそういったことは往々にしてあるだろうとひらきなおっていているからです。

わたしはきれいな（とじた）丸が書けないし、かといってきれいな丸を描くひとに対し、ただしい手続で関係をとりむすぶこともしません。かといって、わたしのものだと盗むことも潔しとしない。わたしは映画タニタニックで老婆がペンダントを海に落とすような手つきで、落とすと落としてしまったのあいだぐらいでいつも決断?をしています。これだってそうです。

これからもそういうことしかしないとおもいます。人からすればけつをわる人間だとおもいます。逆にわたしもけつをわらないひとが嫌いです。あと、かかわると、それをわるくする確信があるからです。ほら今だって、とおもいながら生きてきました。いや、もっといろんなものがからんでいる気がしますが、今はみえません。

ながながとすみませんでした。一九八一年京都市うまれ。会社員。最近毎日持ち家か賃貸かみたいな動画みてる。ローン。

すきま風について

バイト ○リアさんと牧野さん 卵髪の毛バッタのふとももみたいなパーツなど発見 つかれた 休憩のときにおやつを少したべた ○リアさんは土日烏○今出川のあたりの 国際料理やさんで働いてるらしい 来週から木曜になるらしい 週５稼働になる よる相当へこんでひきこもり関連のサイトを読んだ あとこんな文も書いたりして 豪快な だめっぷり ← 俺は何系なのか。 中３あたりから 人の顔を見るのがギクシャクし始める。 とくに女子に驚かれたり、目の前に立たれて、見てる見てるなどと言われるようになる。 人が怖いというか 顔が見られなくなった原因（今自分で思い出して、すぐ思い出せて、つらいと思ったもの）母がビールを飲んでよっぱらった状態で「あんたらは私の子やから大丈夫」と言ったことに 怒りを覚える 日曜、スーパーファミコンをやめろとビールを飲んでいた父に言われ、うっさいと答えると、いきなり食器棚にのどわで押し付けられて色々なことを言われた。 その数日後、母が知り合いに「父親の威厳のためだけにそんなことをするのは」などと電話で話しているのを見かける。 父にも自分にも言わず、電話で話しているのが、臆病者のように思え、怒りをおぼえる あそこを剥いて勃起した状態で父と風呂に入ることが多かった。 それを何回もくいっくいっと動かしたりして、自慢したりした。 ある日、洗っているふりをして目をとじてオナニーをしたらしばかれた。 後々、恥ずかしさで死にそうになる。 母とも入っていた。 母は寡黙に貧乳だった。 ベッドに入るとき、かけ布団をバサバサするとカッターナイフの刃がでてきた。 弟だと思う。 くらくらして、すぐ一階に降りて父親の膝を枕にして寝転んだ。 それからソファーで寝るようになった。 アホの坂田もたしかソファーで寝てるらしい ある日の夜、なぜかいとこ（女性）が来ていて、風呂に入ろうとすると「もうちょっと一緒にしゃべっとこう」と言われたが、なぜか風呂に入ってしまった。風呂からあがるといとこは奥の部屋にいるようだったが、そのまま会話をせず寝た。それ以来怖い。 中学１年のとき、急に３年の不良が教室に入ってきて、窓際にいた男子生徒に「何メンチきってんねん」と往復ビンタを５分ほど続けて去っていって、恐ろしかった。 目のあわせかた次第で、殴られるということに、どうしたらいいかわからなかった。 この頃、その不良の諜報部になって、誰が悪口を言っているか報告して、褒められるということをよく妄想した。 高校のとき好きな人の顔を見たらめっちゃ見てるとかいわれて そこからえ?じゃあ普通に見るのはどうしたらいいのか?と苦悩するうちに 誰の顔をみるのもこわくなり、自分の頭から漫画の吹き出しがでていて それを読んでクラス中が笑っていると思うようになる。 授業中に横を向いて話す人がいると、その顔が視界に入るため、視界に入っていることに気づかれることがおそろしく、黒板を見なくなり、自暴自棄になり、ほとんどの教科（一番前の席に座れる授業以外の）ノートをとるのをやめる。 一番前の席でも、教師が前を向いているときは板書できず、背を向けて黒板に書き付けているときだけノートにうつしていた。 中学のとき合唱コンクールで 声が出ていないと、クラスの仕切りやにさんざん言われ、ひとりで声が枯れる歌わされ、泣きそうになる。 そのあと先生に呼び出され、「お前だけ歌わない」というわけにはいかない、などと説教される。 それから集団にもどされ、声を出さずに口パクで歌ったら何も言われなかったので、その仕切りやや先生のいい加減さに失望する。小学校の頃、友人３人としゃべりながら登校していたが、高学年になって、クラスで人気のあったＢに自分がしゃべろうとすると、声の大きい友人Ｃが「なあなあなあ」と自分のしゃべりを遮るようにＢに話しかけ、Ｂも、声の大きいＣに応じた。俺の思考回路はこういうふうに閉じているんだと、へこむ。人に読んでもらおうという気がない。よせつけようとしてない。だめだ。世界とか、つながる気がないのかもしれない。また怒りにまかせてサイトをオープンして、また閉じる。そういう一生。ひきこもり関連を読むの禁止してたのを破って、五条さんとこ読んで あいかわらずイライラして、そこのコメント欄のｐｈａｓｍａさんにはオーストラリアで変な深海魚が水揚げされたってときに 写真が載っているサイトのアドレスを教えたりして、そういうえば、ｊｏｈｈａｎ（?）とかいう人がいて、あの人にもイライラさせられたと思い出し、イライラして、なつかしいけど、全然変わってない自分が嫌になる。ネットの人と何度も仲良くなろうとして 失敗しまくってきて、というか、失敗というか、失敗以前の問題で、周りを遠くからうろちょろして、気にかけてもらいたいといったような態度を、とったりして、けどもうダメだ。今の自分が大変きゅうくつで、どうすればもっと気持ち的にもっと広い部屋でくつろげるようになるのか。と色々考えてみて、実名でホームページを立ち上げて、好きなもののことや思っていることを書くということを思いつく。しかし、それと同時に、ここに書いたものと体のある自分との落差のようなものに苦しめられることが予想される。公開するということは、走り続けると、背負うと、決めなければならないということであって、あの、めんどくさそうな髪型の人（山口とも）なども、そういう覚悟で 毎日めんどくさい髪型で生き抜くことを、走り抜くことを決めたんだろうと思う。ちっぽけなことなのだが、これを公開することで、人との関係が変わるのがおそろしい。人の知り方は、会うことから始まるのが表だとすると、こういうホームページは、裏側から知るようなもので、そんなの気持ち悪いし、ふだんの自分はしゃべらないので、頭の中で考えていることをこういう形で表に出すのはひきょうな気がしてならない。それと、ふだんの自分はダメ人間だが、あれはあれで黙々としているところがよくて、そのイメージをわざわざ自分で突き崩して 弱体化してもいいのか?という、将棋の布陣は始めるときの状態が最強で、動かせば動かすほどボロが出るとかいう、そういう、わざわざ進んで弱くなるべきなのか、こういう自分のままで、潔く、みっともなくしていれば いいのではないか、というジレンマがある。で、こういうことをグジグジ書くと、もうズレが出てくる。ようするに 許容してもらえるかどうかがまったくわからなくて怖い、という話をしている。誰にも許容してもらえないと思いながら生きているのは、精神的にものすごく狭い平均台に乗って歩いていて、踏み外すと死ぬと思っていて、しかし、落ちたとき、たいしたことなくて、誰もみむきもしないかもしれない、ということにも恐怖している。そんな状態で生きて来れてしまう世の中って甘いというか、やばい。一度も平均台を揺らされることなく、落ちることもなく、ずっとそのめちゃくちゃ細い平均台を、一生びびりながら歩いていられる世の中って甘いのかよっ、という話だ。不安定なところにいると必ず誰かにぐらぐら揺らされて落っこちて「ぜんぜんだいじょうぶじゃん！」と、どんどん面の皮の厚くなっていくのが、そういうのが甘くはないが、健全な成長でないのか。たしか人間の起源は樹上で生活していたサルが地殻変動で木が枯れて 地上に降りざるをえなくなって、そこから始まったんじゃなかったのか。結局精神的にも、何度も理不尽な地殻変動を起こされ、木を枯らされ、また地に降りて、それでも生きていけることを再確認し続けて生きるのが、人間の本道じゃないのかと、そういうことが言いたかったのか知らないが、ようは地殻変動が怖いけど、地殻変動を望んでいて、落っこちることを望んでいて、ここと自分とのギャップで白い目で見られることに耐えかね、ついに開き直って、新しい、より強い自分ができるのではないか、ということを期待している。でも今の自分にはこの文章を公開することも、一世一代の決断のように感じている。おそらく、自分を主人公にしたドキュメンタリー映画などを撮ることで、家族との軋轢などに真っ正面から突っ込む人の気持ちは、これの何百倍か、はたまた、まったく別のものなのか。カメラで撮ることでぶつかる。インターネットに公開することでぶつかる。ぶつかるというよりは、自分の本来の大きさを取り戻したい。自分が乗るはずだった電車の座席に、今は誰かのずうずうしい荷物が置いてあるとする。ひきこもると、いろんなことをゆずってしまう。毎日すれ違う、女子高生に気持ち悪いと言われ続けて、もう家にとじこもる。気持ち悪がる女子高生に道をゆずってしまう。しかし彼女らがゆずってもらったという感覚はない。どうでもいいことなのに、気持ち悪いとかはちゃんと言う。ああ、すごく人間だ。うらやましい。すれ違いざまの「気持ち悪い」に対して俺はもう非合法な手段でしか思いつかない。ものすごくうまい。人間がじょうずだ。やりかえすときには非合法になっている。そのぎりぎりのところをこころえている。俺も合法で、誰かを傷つけたい。いつだってそう思って生きてきた。今の世の中はものすごくうらやましがられ、それでいて、ゆずられている。ということは、憎まれている。もう合法だろうが非合法だろうが、どうでもいいやってぐらいに、自分がだいっ嫌いなオッサンなどが街をぶらぶらと歩いている。何もオッサンを食い止めない。明日あそこのラーメンが食いたいとも思わないし、あの番組が見たいとも思わない。すべてがすべて、オッサンを食い止めることに失敗し、オッサンはやらかす。変なオッサンに「どうでもいい」と烙印を押され続ける世の中は、顔を真っ赤にして死刑だ！と証拠隠滅を熱望する。世の中の「どうでもいい」が集約された、末路の、オッサンの姿に憎しみの目を向けるあなたの娘も、道ばたで誰かのことを気持ち悪いと言っている。「どうでもいい」と思いながら。そういう、誰かに理不尽に、腹の立つことを押し付けられるような核を持っている人が、どんどんその核に腹の立つことをくっつけられて、最後に膨れ上がって、誰にもらったのかもわからない理不尽さを誰かにぶつける。そこまで、わからなくなってしまうまで、もう生きてしまったかもしれなくて、不安になる。でも、他の人もそんなの、いっぱいあるだろうと思うのだが、発散しているのだろうと思う。発散ができていなかった。正直、世の中を憎んでいるが、変なオッサンにはなりたくないわけで。なんか仕返しのしかたとか、どこに戻れば丸くおさまるのか、そういうのを忘れる前に、着地点を忘れて、通り魔とか、そういう理不尽なことをする前に、ちゃんと取り戻したいわけで。取り戻したい。元いる場所、元いた場所、点線で続いていた、サブマリン特許みたいに、また出て行きたい。いびつな思い込みで、明け渡してしまったところをもう一回取り戻したい。何も起こらないのは、うまくいったときか、消極的に、我慢し続けたときだけで、もう毎日死にたいが口癖みたいになってきて、ネットで何を買っても楽しくなくて、なんなんだと。俺はローゼンメイデンかと。バイトもできているのに。ふざけるなと。おまえら。じじぃが年金逆ピラミッドどうこう以前に、いびつな思い込みで死にそうな思いで毎日生きてる思春期の若者たちがそのままほったらかしで生きていけてしまっているなんて、人手が足りなさすぎるんじゃないか。運良く脱出できるやつはいいが、ミスるともう、ダメじゃないか。気づくチャンスがすくなすぎる。門地によって難易度がむちゃくちゃ。ふざけるなと。魚道に気づかなければ一生上流に行けないとかありえない。なめんな土留権造※なめんな。生まれてきたのになんでまた精子みたいなことされなきゃならんのか。そんなに俺を殺したいのか。ふざけるな。現状を打破したい。

※土留権造…おそらく「どるごんぞう」とよむ。人名。漫画美味しんぼ第三十九集に登場する。肩書は全日本河口堰建設促進同盟連合協議会長良川支部理事長。

はい、でたー、二十年前の日記ー（ぼる塾の右の人ふうに）

スリングショット

ひとけのない
細い道
男が倒れてる
電柱で隠れている
顔のところは大量の
シーチキンを吐瀉したようになっていて
白子のようなもの
とまともの
地面は黒く濡れ
毛
シャツの裾はズボンから出ている。
トゥクトゥクの運転手でもやってそう
襟元には
流れだし
ひろがりをみせつつある

管だ
生きてるあいだだけ

停めているものがあるのに

＊

朝
バスに乗って窓をみた
車道寄りに布団が固められていた
民家のシャッターが開放されていた
建物が吐瀉して

＊

エルゴ
この呼気で
ゆすられてさえいれば

保証しない
積層しない
祓わない

あれちゃう?

高校んとき、一瞬破瓜型やったんちゃう？　そのまま陰性症状で今に至ってるとは考えられへんか？　それもあるけど階段から落ったときの血のかたまりとか、首切ったときの虚血とか、あれが影響もたらしたとかは？　ちっさいころずっと天井みてたやん、おかんいいともみてたやん、でもあれあのときなかった部屋やん、捏造してるやん自分、ええ加減にしいやー

安全地帯のときの玉置浩二ぐらいむすっとしとったからなおかん、全然わらわんかったもん、パートできゅうになかええひとでけてからめっちゃ笑うようになって、不気味でしかたがなかった。

ともあれ生きてもうたねんもんなー、式日みたいなかんじもいややねん、こころのなかの中川家がつっこみよんねん、ええふうにいうてるだけやーいうて。相対化してきよんねん、礼二が。

そういや藤谷文子の逃避夢／焼け犬借りたで、これめっちゃむかしによみたかったんやけどー、むしろいまこそしみるきもする。

帰還

前田珈乱

不穏をはらんだ平穏の色としての緑、その緑の葉々の繁る森に一台の馬車が現れた。二頭立ての馬車で、木々の間にはそれがようやく通れるかという小道が続いている。

馬車は走ってゆく。森の横にはやや大きな川が一つ流れており、馬車はその川をさかのぼる方向へと進んでゆく。

「ええ、この源流のあたりにはたしかに城が一つございます」

御者は答えた。

「あと半刻ほどですな。日が暮れるころには着きます」

そこで、御者は首を横に振った。

「泊まれるような城ではございませんて。廃墟と呼ぶ方が良いかもしれぬ」

夕日は馬車の左側からさしている。木の葉の隙間から途切れ途切れに光が洩れてくる。

川もまた馬車の左にあり、時折陽光が煌めいて水面をはねかえってくる。

「人っ子一人おりません。あの城は滅びてしもうた。それどころか呪われておる」

御者はわずかに顔を後ろに向けた。

「呪いの話ですか。いえ、そんな長い話ではございません。おこりは城主に異国から姫が嫁いできたことです」

馬の片方が小さくいないた。御者は前を向いた。

「金色の髪、緑色の目、その姫はまことに美しかったそうで。はじめは城下町でも評判が良かった。しかし、彼女は実は魔女だったというのです」

馬車は森を抜けた。景色はうってかわって視界のきく田園地帯となった。ところどころ小屋が見える。夕陽が干し草を照らし出している。

「それが露見したのが、皮肉にも敵国が攻めてきた時で、奥方は城主とともに戦線におもむき、魔術でもって城主の戦勝に貢献したそうな。ただ、魔女狩りの横行していた時代、徐々に奥方への風当たりは強くなった。二人の間に生まれた娘た

ちも魔術を使うというから、ついにみなが彼女らの敵に回った」

城が見えた。日が落ちゆく時で、あちらこちらの家屋にはあかりがともりだしている。

「それでも城主は必死で彼女らを守ろうとした。ついに内戦になった。奥方たちの魔術は反乱軍を散々に苦しめたそうです。しかし、最後には城の守りを破られ、城主と奥方は自刃、子供たちも一部は逃げたが、大半は殺されたと言います」

城は川の対岸までせまった。なるほど、城はあちらこちらが破壊されており、明かりがともる気配もない。馬車は橋が降りるのを待つため、停止した。

「そこからが恐い。敵国が内乱に乗じて城を制圧したのはともかく、そこからの代々の国主はみな変死。一族も発狂したり、重い病になったり、これはあの魔女の一族の呪いだと誰もが震え上がった。やがて、この城は打ち捨てられ、ご覧の様子となりました」

橋が降りた。馬車はゆっくりとそれを渡り始めた。

「城門の前で良いので？」

御者は客に聞いた。

「良いですよ」

客は答えた。マントで身をくるみ、大きなフードをかぶっている。

馬車は城門の前に来ると、止まった。

「どうどうどう」

御者はそして振り返った。

「明日の昼頃また迎えに参ります」

「よろしく」

客は頷いて馬車を降りた。

馬車は動き始めた。橋を渡り、道をひきかえしてゆく。客は馬車を見送った。馬車が再び森の中に隠れるころ、日が暮れた。


村は少々の騒ぎになっていた。長いこと廃墟となっていた城に明かりがともるのを目撃した者がいたためである。

「呪いの復活だろうか」

年寄りの中には脅えるものも多かった。その話自体を知らない若者たちは動揺はしなかったが、

「一体誰が何の用で」

と、不気味がった。

人々は徐々に家から出て集まり話し合いを始めた。今すぐに状況を確かめに行くべきという意見と、明朝で問題ないという意見とがあったが、徐々に前者が大勢となった。ただし、武器が無いと危険だという声があり、みな家に引き返して準備にとりかかった。


その頃、馬車に乗っていた客は、階段を少しずつ上がりながら、城をくまなく探索していた。すでにフードとマントはぬいでおり、白い衣をまとった容姿をさらしている。金色の髪、緑色の目。片腕には籠を持っている。

彼女はまた床に落ちている骨を見つけ、それを籠の中に入れた。籠の中はすでに中程まで骨でうまっている。

彼女は上を目指していた。再び階段を見つけると、それに足をかけた。

濠の池の水の波間に映る火が揺れている。城の窓から見える灯は続々と増えつつあった。何者かが城の中を徘徊して明かりを点けてまわっている。

「金色の髪と緑色の目だ」

偵察に行ったものが青ざめて帰って来た。

「見えた。間違いない」

みな色めき立った。魔女の一族が何のために城にやって来たか。復讐のほかには考えられない。

村人たちは城に向かうためさらなる人数と武器が揃うのを待った。

城の窓からも夜の田園のなか灯が次々に集まるのを確認できた。彼女には慌てる様子は無かった。今や彼女の足は最上階に近い玉座の間にさしかかっていた。謁見の広間の向こうの石段の上に二つの椅子が並べて置いてある。玉座だ。それはいまだにそこにあった。

彼女はゆっくりと玉座に歩み寄った。広間に足音が良く響いた。

玉座はほんのり血の香りがした。彼女はそれを撫ぜた。そこにもまた小さな骨があり、彼女はそれをつかんで、目の高さまで掲げた。

天井の裂け目からかすかに月光が洩れている。光は骨にあたってきらりと瞬いた。彼女は骨を両手でかき抱いた。そしてぽろぽろと涙をこぼした。

やがて、彼女はその骨を籠に入れると、あと一つ上、すなわち城の破壊された最上階を目指した。

怒りと恐れのないまぜになった感情で、村人たちは城を目指していた。みな手に武器を携えている。川岸までさしかかった彼ら、彼女らは、橋をおろしにかかった。それが降りれば、一挙に城に押し寄せることができる。

「見ろ」

その時声が上がった。城の天辺の庭とでも呼ぶような場所に火と人影が現れたのである。金色の髪。緑色の目。火が照らし出す彼女を誰もが目撃した。みな思わず後ずさりした。

橋はまだおりきっていない。村人たちを強いおびえが襲った。

その時、彼女が火を消した。視界から彼女の姿が消えた。

燦、と月光が射した。彼女は再び視界に現れた。その手が無数の骨を宙に投じていた。空高く舞ったそれらは彼女のまわりできらきら瞬きはじめた。みなは見た。地に向かっていた瞬きは、向きを変え、天の方へと、ことごとくのぼってゆく。

月光が、骨を照らし、そこに反射した光がさらに反射を繰り返す。彼女は光に包まれながら、一歩踏み出した。両手を

上げた。くるりとまわると、踊りはじめた。

その踊りがどれほど続いたのか。村人たちは月光に射抜かれたかのようにそれをただ目で追っていた。おびえはいつしか消え、安堵に包まれたかのように、そして、気が付くと朝の目覚めを自身のベッドで迎えていた。夢でも見たのか、と誰もが思ったが、魔女を月光が照らしたあたりまでは覚えている。

「あれはきっと聖女だったんだよ」

ある若い者は言った。

多くの年寄りはそれには賛成しかねたが、悪いことが終わったらしいことは何となく感じた。

彼ら、彼女らは知らない。

その日の昼間、一台の馬車が城の前に到着した。フードとマントをまとった客が乗り込み、城をあとにした。そして、緑の葉々の繁る森を、今度は川の下流の方、南の方へと、走り去っていった。

（終）

白鳥

矢板進小詩集

1974年生まれ。京都市在住。本町エスコーラ。ジャンル難民学会。最近、ある新聞で獄中俳句、短歌の選者を始めた。

白鳥

焼き肉「白鳥」にまたひとがあつまる。いつもおなじ顔ばかりがあつまる。ぼくは叔父に初めて連れてこられた。叔父は常日頃から顔を出しているようで、ここにいる他の客とは誰とでも仲が良さそうだった。「白鳥」に寄ってから家にくることもあって、叔父の焼肉と酒の匂いが嫌で「白鳥」帰りの叔父にはなるべく近づかないようにしていた。基本的にはぼくは叔父を好いていた。話しが面白かったし、開豁なその性格は場を明るくしたからだ。酔った叔父を煙たがっていたのには叔父も気づいていただろう。

そんなぼくを気にしてか、叔父は「白鳥」に誘った。ふたりきりになることなどなかったので、なにを話していいか分らなかったが、叔父のことだからなにかしら面白い話をしてくれるだろうというのともしかしたらなにか秘密の話でもあるんだろうか。どうせ彼女はおるんかとかそれぐらいなものだろうと思っていた。叔父の飲む量はいつもより少なかった。多分酒の匂いが嫌いなぼくのことを考慮してくれたのだろう。店にはいってみると焼肉屋の匂いは嫌ではなかった。叔父から嗅ぐ焼肉の匂いはどこか外側にいるようで、ベランダから眺める夕陽のようだった。ぼくの意図しない速度で、ぼくの意図しない場所にゆっくりであるのだが夕陽は逃げていくのである。そして今日も夕陽はぼくのものにならない。もちろん夕陽に匂いはない。多分、肉は好きなのだろう。しかし匂いばかりというの

も困ったもので、ぼくはどうしても「白鳥」帰りの叔父に対して素気ない態度をとってしまうのだ。

熾。

気がつくと食べるのを忘れて熾を眺めているのだった焼肉の脂のしたたっては炭にあたる。じゅ、という音を聞いてはわれにかえる。または叔父の「食えよ」という言葉に醒まされて箸を動かす。腹は膨れたがそんなことを繰り返していただけで叔父の話は覚えていない。「白鳥」には鶏肉もあったはずなのに、なぜ「白鳥」と名づけたのだろう。

白鳥の羽根が毟られる夢を見た。毛ではなく羽根まるごと身体からひきはなされる。しかも白鳥は生きていてひきちぎるひとの腕の太さとそのスピード感に魅了されていた。何度も見るようになって気づいたことだが、二本の腕はしばらく白鳥と格闘するのだが、ふっとしたタイミングというか、それを見ているぼくの視線の移動やふと何かを思い出したり、思考の変化があった瞬間に白鳥はなにか抵抗を諦めるような気がした。しろい羽根がじわりじわりと赤く染まっていく。白鳥の羽根は断たれた生命体の一部ではなく、鳥という宿命から放たれたひとつの生き物が呼吸するようにじわりと赤くなっていった。まるで血まみれになるのが生命の当然の遂行であるように。

夕食の時刻になるまでに寝てしまって、起こしてくれたのだが、起きれずに意識が朦朧としたままでいたら家族のしゃこしゃこと食う音だけがずっと鮮明に耳にのこった。だって他のことといったら、いつもとおなじ人間、おなじ風景ばかりなんだもの。それにしてもあいつらはいったいなにを食っていたんだ?

車庫。

車庫。車庫。車庫。車庫。車庫。書庫。車庫。車庫。車庫。

そうだ。クルマで「白鳥」まで出掛けてみようか。

いつからだろうか。京都国立近代美術館の横が庭になっていて、この長い休館のあいだに建物のなかの作品は観られないにしても庭に点在している作品は観られると美術館を逸れて緑の方へいくと杉本博司のガラスの茶室があった。茶室なのに内部が見えるというのが焼肉の匂いだけを持ってくる叔父のプライヴェートルームのように思えて、気がつくと茶室は煙だらけになっている。煙かと思うとそれは白鳥で、ぎゅうぎゅうに茶室のなかに詰められているのだった。

数羽の白鳥の首が絡み合い、眼があってむせた。

昼間だというのにひとはまばらで
ふたりきりで焼肉「白鳥」に行った叔父とぼくのようにぼくは街のなかにガラスの茶室のなかの白鳥と向き合っていた。
言いわすれていたが、叔父の頭は禿げていた。

死んでいく白鳥、腐っていく白鳥。それをずっと見ている白鳥。
それからぼくと眼が合う白鳥。

あなたは記憶の棺桶をもっていますか。

水辺にそれはあります。

美術館に白鳥は来ますか?

残念ながらここに白鳥は来ません。

白鳥の絵ハガキなら一枚くらいはあったかもしれませんが、記憶にございません

あなたは十分に悲しみましたか。

＊

叔父はくちを開けたまま死んでいた
しろい棺の横で

言葉は
奮起して
滅んでいった

ぼくは黙って様子をみていた
多くのひとも黙っているしか仕様がなかった。
静寂のなかに笑いが起こる
笑いは弔いになるってだれかが言ってた。

とても静かだ。

＊

肉感が不足しているのだ。絵と絵のあいだを観てあるくとき、あるくというよりもむしろ滑っているという感覚がしてしかたがない。絵と絵のあいだに物語がないからだろうか。だから意図的に一枚の絵を飛ばしてみたり戻ってみたり、自分の歩みにストーリーを付加していく。特に常設展が問題なのだ。

「感染症はひとのつながりによって拡がります。密集・密接・密室を避けましょう。親しいひととは疎遠になりましょう。美術館は閉館していても美術品を保管するという役割は果たしている。そして私たちの危機感や価値観はばらばらです。くされ縁のカップルはすぐにでも別れましょう。電話も毎日かけるところを三日にいっぺんくらいがいいでしょう。美術館は閉館していても美術品を保管するという役割は果たしている、ということを忘れるな！」

＊

茶室のなかにお茶はなくてぼくは隣接するカフェでコーヒーを飲みながら、そのアナウンスを聞いていなければならなかった。窓からは群になって行ったり来たりするフラミンゴの首だけが見えた。観客は見えなかった。フラミンゴは無表情で、歩いているにもかかわらず、まるで機械で動かされているように頭の位置は一定に保っていた。カメラで写真を撮るにはちょうどよかった。ぼくは写真を撮らなければならないと思った。あらゆる風景。途方に暮れる動物たちを撮らなければならないと思った。カメラのレンズ越しにガラスの茶室を見る。カメラのレンズ越しにガラスの茶室に隣接するカフェの窓ガラスを通してフラミンゴの群の機械的な動きを見ている。ガラスの茶室にはお茶でなく、特上牛ロースが一人前白い皿に盛られ畳のうえに置いてある。茶室には鍵がかかっていてぼくたちには入ることができない。特上牛ロースは表面が乾燥しはじめていた。

＊まるねこ堂芸術祭大谷隆氏発表「芸術は不要不急なのだろうか」より引用部分があります。

関根悠介

1978年生まれ。今年PTAをやることになりました。笑えるでしょ？

考えるヒザ

ヒザにでんきゅう
おちると床の
トマトあおざめた
ほほえみ
鸚鵡がもたもた豆腐をはたき
おはよう
こんにちは
かばね

あいしあっていた
はずなのに結婚して
葱になってしまった
鶏をちりとりで

あおぎつづける生活は
怒りながら野菜をつくる生活と
ひさしぶり
げんきだった？
武蔵野線で来たの？

あおぎつかれた手を
兎の耳のように
ぱふぱふすると
一枚ずつはなびらが
散っていく
こっそりと
隠れてわるいことをするように
ばらのはなびらが
しっとおちる
ちらずに耐えるのは
冬のあじさい
火のくちびるを
ちかづけたくなる
日に

さざなみ

詩にあこがれてＮＨＫ講座入門。八木重吉が好き。
田舎の自然が好きでその中で暮らせる幸せを感じています。

わたしは

青い青い青い空
あの青がとろーりと
落ちてきたならば
わたしは
りんどうになろう

4

ちんすこうりな

保育士三年。三冊目の詩集はそのことを書きたいな。

結婚記念日

一年目の結婚記念日は
たぶんすごく幸せだった
どこかすてきなレストランでディナーをとった
三年目の結婚記念日は
私が忘れていたから
あの人は車のナンバーを結婚記念日にした
五年目の結婚記念日は
覚えていたけど
たぶんあまり
幸せじゃなかった
だんだん
十年目の結婚記念日は
お互い忘れたふりをして

思い出すふりもしないで
無事終わった
日付が変わるのを待った

友達がスイートテンの話をしてた
旦那さんがお花をプレゼントしてくれたそう
でも
花しか思い浮かばないのかって
本気で怒ったって
会ったことのある旦那さんの
寂しそうな顔を想像してしまった
どうして一緒にいるんだろう
十年も

十一年目の結婚記念日からは
あの人が思い出すふりをしなかったら
私が思い出すふりをしよう
あまり変わらないし
そっちの方が
たぶんいいはずだ

加勢健一

１９７８年、北海道生まれ。鎌倉在住。読書は行旅死亡人、詩は安否不明者、だから森へ言葉をかりにいく。

詩集「未少年」、所属詩誌「聲℃」（セイド）。

ふしだら

不死荼羅のひつぎに
ふしだらの聖骸布を納めて
林檎のたわわに実る森へと旅立ちます

公衆便所の黄ばんだ青春に
なりぞこないの涙を流すと
玉櫛毛をすぱっと切断されたような痛みです

成人するためにはあと数百億もの殺生が要るのだよ
と投票権を見せびらかしながら
罪深い女の体がささやく

縮れ毛の正確な長さを求めるには
甘い葡萄の分度器は役立たないから
直線的な感傷は剃り上げてしまうことにした

つま先のペディなんとかのどぎつい匂い
核心からしたたる血をそのまま塗ったような
すべての指をいや夢を一度に頬張るには
アゴが外れそうに卑しくて

肉体のために潔さを求めるほど
精神のために穢れをまとう昂奮
自分の背後に回ってこんなところに
宝毛が生えているとは知らなかったよ

帰りは近道をして帰りましょう
いやそっちはむしろ回り道だよ
藪のヘビが真っ赤な林檎を差し出していますよ

これはこれは立派な原罪ですなあ
耳なし芳一は少年の先っぽにまで
念仏を書き込んだんだってね

そろそろ出口が見えてきましたよ
いやあれは入り口かもしれない
だってあっちのほうが毛深いだろう?

太田昌孝

雪国の黙示録

八海へ登った詩人の秘薬は
アマリリスではなく水仙の園で拾ったものだ
尾根を下り滝に化身した女神
蓮の茎で拵えた横笛を髪に挿し白いアポカリポスを奏でる
（盲いた男が一人、娘の喉を想いながらそれを聴いている
雪割草に宿るヒヨドリの肺の温みを夢見て……）
頭を巡らせ魚野川の滑床に生え初めるクレソン
その苦悩に寄り添う背徳の言葉たちを掠め祈りの歌が聴こえる
「そもそもの始まりは炎の揺めき　神託から我を解き放つために石のハープを弾け」

蓴菜の葉脈を数えながらオフィーリアに殉じた娘
男が求めた喉には緑のぬめりが絡み付いていた
雪融けの魚沼に綴られるフォークロアに
汝の命を捧げよ

藤井五月

松山在住。次男のトンボ採集に付き合う毎日です。

料理人

夜中
目を覚ました
右側に上の子
左側に下の子
わたしに　くっついて　寝ている
綿のような髪の毛が肩にかかり
お腹の上に片足を乗せて
小さな指が脇を
少し大きな指が胸元に触れ
ふたつの寝息が
私を　囲んでいた

洞窟には
大きな古代魚が
真っ二つに切られ

横たわっていた
一人の少女が
魚の横に立ち
じっとこちらを見ている
彼女はノースリーブの
ワンピースを　着ていた
襟元がよれていて　洗うのも
忘れられて
どのくらいの間
　ここで
過ごしていたのかな

料理人が魚の臓物を引き抜くように
小さい指と　少し大きな指が
私のみぞおちをまさぐり
何か　取り出そうとしている
私は
その空いた部分に
何を　詰めようか
考えながら
気がつくと　眠っていた

畑章夫

詩集「猫的平和」を今春に上程。コロナ禍にため息をつきながら、人はどこへ行くのかなぁと考える。そんな時間が楽しくて遊んでいる。すると約束を忘れてしまう。惚けがしのび寄る日々。

海への入り口

月のない砂浜。波と砂の動く音がする。そのなかをとても大きいほら貝が、ベロを出しながら海から上がってくる。砂浜を粘液でぬらし、ほど近い貝塚の前で止まった。どこから持ってきたのか、錫杖まで携えている。風が強くなった。波が打ち寄せる。ほら貝が唸った。「海の明神よ、出でませい」。するといつの間にか住処を失くした、あさりやしじみやはまぐりがやってきて、「ヒトはひとでなし」

「恩知らず」などと口々に言い始めた。ビニール袋を頭にかぶった亀も上がってきた。ほら貝が法螺を吹く。「ＨｇストロンチウムウランセシウムマイクロプラスチックＰＣＢ。取り込んだ貝を、煎じて飲めば不老不死」。貝塚の裏で隠れていた男と女。それを聞いて裸のまま飛び出した。砂浜を踏むと小さい穴からカニが出てくる。フナクイムシも群がる。夜の砂浜に小さい生き物の蠢きが、波の音と共鳴する。夜明け前、小さいナマコと赤貝が波打ち際で揺れていた。

あかねゆかこ

一九八四年生まれ　好きな詩人は萩原朔太郎
胸がかき乱されるような詩が書けたらと日々模索中です。

めまい

浮遊するたましいは
決して同じ場所には留まらない
落ちているヨーグルトの
つんと走る臭いを
今日も置き去りにして
薄紫色のカーテンが揺れる部屋に
そっと鍵をかけた

この部屋では
電球はいつも切れかけで
あちらこちらで
叫びにも似た　笑い声がこだまする

一四時五十分には 雷鳴が轟き
ひと通り 爆発したあと
穏やかな風を運んでくる

予定調和　予定調和　予定調和

予定調和の波がカーテンを揺らす

予定調和を過剰摂取すると
人はおかしくなるらしいよ

それはぬるま湯のように忍び寄って
熱湯のように手足を焼き尽くすんだって

めまいがする

瞼を閉ざしても開いても
目の前に映る　薄紫

河上政也

外出する機会がめっきり減りました。様々な事情によりますが、そのすべてが改善されることを願っています。

私の名は

私の名は
ブルース・リーとは
血縁関係のない
グッタ・リーと申します
日常生活という
平凡そうに見える敵と
格闘したのちに疲れ果てて
棺のなかで横向きになり
ぐったりしながら
体力・気力が回復するのを
ひたすら待っています
隣の部屋から聞こえてきた
ゲームの爆撃音を浴びたので

ゾンビのようにむくりと起き上がり
言葉の銃弾が飛び交う街を徘徊します

どこかで声が聞こえても
振り返ることはしません
心無い言葉は風が流してくれますが
それよりも危ないのは
我慢の限界を超えたひとが発する怒号です
私に向けられたことでなくても
流れ弾が飛んできます
向かってくる気配を感じたら
叩き落としてやろうと
腰元に忍ばせたヌンチャクを掴む間もなく
身体じゅうに衝撃が走ります
痛みに耐える声が
弾丸となって飛び散らぬよう
人気のない場所を探します

友尾真魚

室生犀星「我が愛する詩人の伝記」も、萩原朔太郎「詩の原理」も、吉田健一「文学概論」も、恥ずかしながら積ん読です。いつか一気に読みたいと思います。

朱(あけ)の布帛

私ではだめだったのだろうか

握りこんだ布帛が音を立てる。
夕陽に照らされぬ「少年」の身を思った。
もはや少年のくくりではないと信じていたのに、
今宵、輿が運ばれる。

揺(ゆ)ら、揺ら、鈴(りん)、鈴。
小さな隣国でも使われる音を歌う。
添(そ)い人たちは夕陽を背負う。

あなたは河の源流に辿り着く。
裳裾を引くように朱の布帛が地を撫でる。
もはや朧と見えるあなたの姿が、
水に溶けようとしている。

私ではだめだったのだろう

布が流れていく

タニグチ・イジー

奈良県在住。詩集『Ｌｏｖｅ Ｓｏｎｇ』（２００７年・草原詩社）。Ｔｗｉｔｔｅｒを始めました。

思っていた以上に詩が沢山載っていてついていけてません。作品をアップするのも滞っています。置いてけぼりになっていませんか、私？

居残り

教室のすみに座り込んで
ずっと泣いている
できないことが多すぎて

食べ終わらない給食
まだ描けない絵
体育館の真ん中で
六段の跳び箱が
じっと私を待っている

みんなは帰ってしまって
もう誰も戻ってこない

図書室へ返さないといけないあの本は
ランドセルの中で
眠っている

伸びてきた蔓草が
三階のこの部屋までやってきて
どの机にも
砂ぼこりが溜まっている
いつの間にか
眠ってしまった
お腹が空いたので
残っているコッペパンを
口に運ぶ

跳び箱はまだ
体育館で
待っている

平居謙

本誌編集。巻末プロフィル参照。

南国旅情

南国の花々が
運ばれてきて
これは君へのプレゼント

大陸間弾道ミサイルのように
太い茎とそれを挟む
ピンク色のキャタピラ

美しい女蕊を小刻みに振ると
綺羅綺羅する甘い菓子が
セレナーデみたく零れ落ちる

人気（ひとけ）のない
透明の通路で２人
唇の味を確かめ合う

少年兵が
極楽花鳥館園の鳥を蒸し焼きにして食べた
とニュースが知らせる

月も食べてしまったのだ
と思った
ひとりで
笑ふ

永遠に
帰ることはない

Lyric Jungle 28 号 編集後記

28 号をお届けする。本誌は 2001 年に創刊されたので、2021 年現在で 28 号、今年末には 29 号になる。年に 2.9 冊も出したことになるぞすごい。いや、最初は季刊できっちりやってたから、それに比べるとその後のペースは眠いもんだが。しかしまあ 20 年間も低空飛行ながら続いてきたというのは、詩の神様がわれわれを褒める権利もあるというもんだ。Lyric Jungle の 20 周年記念と草原詩社 20 周年を記念してささやかな賞を設けることを検討中である。次号において発表したいと考えている。

責任編集　平居　謙

LYRIC JUNGLE 28

責任編集　平居　謙
協力　山村由紀（「詩杜」）／折口立仁／川鍋さく
執筆委員　細見和之／マルコム・シャバスキー／湊圭史

◆平居謙　プロフィル◆ 1961 年生れ。詩人。平安女学院大学国際観光学部教授。詩集に『行け行けタクティクス』（白地社）・『無国籍詩集　アニマルハウスだよ　絶叫雑技篇』（思潮社）・『基督の店』（ミッドナイトプレス）『燃える樹々（JUJU）』（草原詩社）他。批評『高橋新吉研究』（思潮社）・『村上春樹「1Q84　BOOK 3」大研究』ほか。短詩系文藝四重奏 Project 代表。近々短詩系文藝四重奏爆弾 1『詩集』2『歌集』3『句集』4『川柳作品集』を同時刊行の予定。4 冊セットで読んでねっ！

責任編集　平居　謙
編集部　611 - 0042 京都府宇治市小倉町 110 - 52
発行所　株式会社　人間社
464 - 0850 名古屋市千種区今池 1 - 16 - 13
電話　052 (731) 2121　FAX　052 (731) 2122
［人間社営業部／受注センター］
468 - 0052 名古屋市天白区井口 1 - 1504 - 102
電話　052 (801) 3144　FAX　052 (801) 3148
郵便振替 00820 - 4 - 5545
表紙デザイン　K's Express
表紙イラスト　平居　謙

本文レイアウト　岩佐　純子
印刷　株式会社 北斗プリント社
ISBN　978-4-908627-66-8
発行日　2021 年 6 月 30 日

＊定価はカバーに表示してあります。
＊乱丁本・落丁本は送料小社負担でお取り替えいたします。